U0064417

劉福春・李怡 主編

民國文學珍稀文獻集成

第四輯

新詩舊集影印叢編　第144冊

【瞿飛白卷】

香嚴集

上海：泰東圖書局 1927 年 12 月出版

瞿飛白 著

【嚴廷梁卷】

晨露

上海：群眾圖書公司 1927 年 12 月初版

嚴廷梁 著

花木蘭文化事業有限公司

國家圖書館出版品預行編目資料

香嚴集／瞿飛白 著　晨露／嚴廷梁 著 -- 初版 -- 新北市：花木蘭

文化事業有限公司，2023〔民 112〕

124 面／ 84 面；19×26 公分

（民國文學珍稀文獻集成・第四輯・新詩舊集影印叢編　第 144 冊）

ISBN 978-626-344-144-6（全套：精裝）

831.8　　　　　　　　　　　　　　　　　111021633

ISBN-978-626-344-144-6

9 786263 441446

民國文學珍稀文獻集成・第四輯・新詩舊集影印叢編（121-160 冊）
第 144 冊

香嚴集
晨露

著　者	瞿飛白／嚴廷梁	
主　編	劉福春、李怡	
企　劃	四川大學中國詩歌研究院	
	四川大學大文學學派	
總 編 輯	杜潔祥	
副總編輯	楊嘉樂	
編輯主任	許郁翎	
編　輯	張雅淋、潘玟靜　美術編輯　陳逸婷	
出　版	花木蘭文化事業有限公司	
發 行 人	高小娟	
聯絡地址	235 新北市中和區中安街七二號十三樓	
	電話：02-2923-1455 ／傳真：02-2923-1452	
網　址	http://www.huamulan.tw 信箱 service@huamulans.com	
印　刷	普羅文化出版廣告事業	
初　版	2023 年 3 月	
定　價	第四輯 121-160 冊（精裝）新台幣 100,000 元	

版權所有・請勿翻印

香嚴集

瞿飛白 著

作者生平不詳。

泰東圖書局（上海）一九二七年十二月出版。
原書四十二開。

嘗試集

胡適

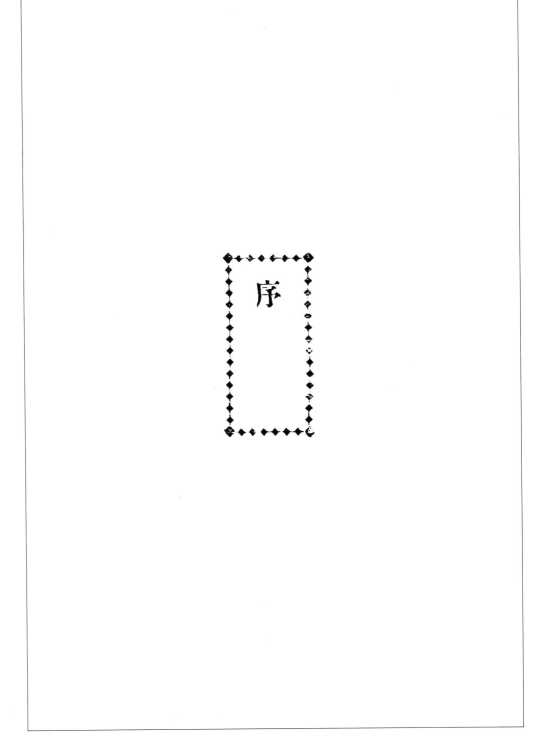

序

序

Winchester 說:「詩歌者以音律的形式寫出來而訴之于情緒之文學」卜夏子詩序說「情動于中而形于言,言之不足,故詠歌之,……」所以凡有情感的,未必個個能詩;而能夠寫得出好詩的人必富于情感,這是一定的.

飛白富于情感而又思想澈底胸懷澹蕩者.他生長在山水雄麗之鄉.成年的在金焦北固之間過一種特殊的生活.自然情感的衝動要比別人為多.他後來又到武昌去讀書,前二年又到西藏去求學.自然界供給他的詩

料愈覺豐富，所以他的詩境，也愈覺廣大，愈覺美善．這本

小冊子便是他近幾年中心頭舌尖所必欲發抒的話，以

音律的形式揮寫出來的．換句話說，便是他近年來零碎

思想的集合．以我主觀的眼光看來，這幾百首詩裏有一

大部分是富有美感涵有眞理的．——原來是一部微妙

香潔的詩集啊．

在此集刊印之前，飛白寫信給我，要我做序幷且說

集名「香嚴」．我記得楞嚴經上有一節說：「香嚴童子

白佛言見諸比丘燒沉水香香氣來入鼻中；我觀此氣非

木非空，非煙非火去無所著，來無所從．由是意銷，發無明

漏．如來印我，得香嚴號．塵氣倏滅妙香密圓……」我想
香嚴的究竟義本是香潔——見維摩詰經——飛白
此集刊印行世在文壇上固然不能一定說有特殊的價
值；但是至少可以使得一部分讀者如如經上所說「塵氣
倏滅．」

我現在拉雜地寫這幾句話寄給飛白實在算不得
序言，只好說是一篇介紹的閑話罷了．

　　　　　　　十六年五月十日．

　　　　　　　伍受真草于武陽公學．

— 4 —

序

年來中國出版界無多進步；惟有新詩集小說却似

落葉一般的出現．青年學子略能握管作書便相率入于

這一途，已成了風氣．揆其原因，大率因年來政象日惡，社

會上普徧的感覺不安于是一般感覺稍敏的青年，多以

詩酒自放這是中國歷史上所常有的例．但是，青年界成

此輕浮的風氣殊堪悲觀！

日今出版的新詩分析其內容，大率不外「玩物喪

志，」對于社會發些不負責任的話，或對于人生作無聊

的樂觀及無謂的悲感這一類詩．在這些新詩中，自當有

思想高尚能切實指導青年的作品出來，挽囘這輕浮的

風氣．

　飛白有香嚴集之刊，他要我做一篇序；我雖然沒有

見到這集的內容，但是我相信他這本書一定是想對于

青年有所指導，想使青年于人生之意義上有所了解，不

作無謂的悲感或無聊的樂觀．

　尤有進者，飛白是個研究佛學的人，佛法向來被人

看作消極的、退後的，我很希望飛白于這一點上多注意，

要用文字因緣闡揚眞正的佛法！

　　太朴　十六年十月廿二日于吳淞同大．

序

我記得古時某禪師有首詩說：「春叫貓兒貓叫春，

看牠越叫越精神；老僧也有貓兒意，不敢人前叫一聲.」

可憐人們心的深處，誰沒有一段悲哀？誰不想在人前高

高的叫他一聲出出胸頭悶氣.但是相傳是古聖人制定

下來的禮敎，——什麼是禮敎！——早銅牆鐵壁似的

站在你前面了.你假如敢叫，他能夠立刻加上你一個萬

劫不復的罪名！譬如你違反了法律縱然斬首剕足也不

過及身而止；而且只有少數人有裁判你的權力.却是你

如果違反了他們所謂的禮敎，那可就不得了了.他能夠

—1—

制裁你到千世萬世，能夠有成千成萬的人們指着你痛罵．你敢叫麼？你敢叫麼是不敢叫了，但是我們心的創痍深極了，痛極了；固然不許叫，難道哼兩聲也不行麼？——這個在嚴格的禮教家依然不許你破例；却有少數的文人以爲假如你哼得好聽些能夠藏頭露尾指桑罵槐似的，用些花草樹木風雲月露等類的字樣，把他遮起來不教他赤裸裸的軒豁呈露，倒也沒有什麼不可以．——這就是所謂「詩」罷？

　　飛白做好了香嚴集，拿去請我們老大哥劉靈華做序，我們這位劉大哥他正忙着預備做三軍司令帶十萬

大兵，吹吹打打浩浩蕩蕩的直搗幽燕呢！他那裏有閑工

夫來搖頭簸腦做文章他于是乎吩咐小兄弟我做了．我

本來不是詩人，如何敢批評這本集子的好壞又不是藝

術家，自然也不敢鑑定他在藝術上的價值却總該是心

的哀聲罷所以我就替他做了這篇序．

十六，五，二五，晚上·懺華·

序

香嚴集作者瞿飛白君，是一位富有文學天才的少年，這一集小詩是他的最近精彩傑作，他用極熱烈的感情，赤裸裸的筆法描寫社會的背景人的心中的隱情．

可惜！我是一個詩中門外漢的門外漢不但對于詩情，赤裸裸的筆法描寫社會的背景人的心中的隱情．

沒有深刻的研究，簡直連看都不看這也許人的個性不同，缺少研究，所以對于詩才有這樣的冷觀．

誰曉得這一次瞿君的詩，不知道其中有什麼魔力，使我讀着不覺得麻煩而生厭，反覺得好像有什麼無畏的光力，充滿我的心情．

句
點頭．我想讀者，鑒賞了這本詩集，至少，也得敝胸拍案，句

一九二七，一一，一二．

同活序于上海．

小敍

「詩」？

詩是命泉中流出來的 Strain. 心琴中彈出來的 Melody.

生的顫動，靈的叫喊．大自然中環繞着我們的一切，就是

一個極大的詩境．在這詩的境界中潛伏着不少的不可

思議底魔力，致我心理上有了衝動；使得我不能不在紙

上用筆尖簌簌地寫下這幾百行字來．故而這本小冊子，

也總算是我近年來心情上感覺的一種純眞的表現．

不過我覺得我自己的作品，的確是很幼稚的．人家

看了，或許要說這那裏還配說上「詩」這一個字，但太

—1—

戈爾飛鳥集上有句詩道：「羣星不怕同螢火一樣的現

出來」我的作品譬如是幾顆僅僅祗能放出一些微光

的小星兒；我不管什麼，竟大着膽供獻給一般人們。如有

人能予以嚴格的批評，那末，我刊印這本小冊子的目的

便算達到；這是我深深感謝而盼望的．

在這還要謝謝諸位先生們給我做序．

一九二七，一一，一九·

飛白于滬上·

著者造像

— 4 —

今我

一六，一一，滬濱．

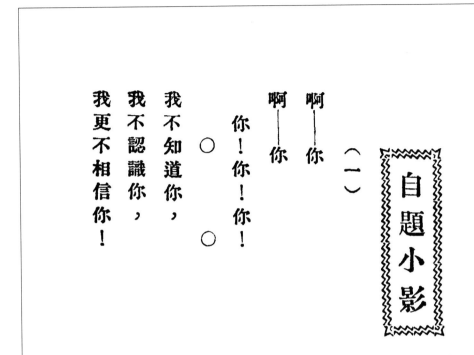

自題小影

（一）

啊──你

你！你！

啊──你

我不知道你，

我不認識你，

我更不相信你你！

你是絕大的魔王，　○
你是萬有的奴隸，
你尤其是我精神上的蟊賊！
　○
你竟用你的魔力化做我環境上一切的對象，　○
你更用你的魔力驅使環境一切向我進逼．
啊——你　○
啊——你
啊——你

啊……………………

啊……………………

你原來就是我！？

我原來就是你！？

你！你！你！

（二）

你就是我·

我就是你·

你……我……你，

你，……我……你，

一六，一二，一四，上海·

不隔一重山，
不分一片水．

○　○

但是，
為什麼影外有我？
形外有你？
四耳四目？
兩鼻兩嘴？

○　○

說我不是你吧，

怎的畢肖不僞？

說你不是我吧，

畢竟又是體出同軌！

○　○

唉！

是眞，是僞，

是我，是你，

總是幻化空生！

總是骷髏活鬼！

○　○

——5——

我⋯⋯你

誰能免了生⋯⋯⋯死？

一樣蜉蝣虫似的，

還配着分個彼此！

〇　　〇

算了罷！

意識構造的你我們，

紛紜何事？

止――止――

一六，三，二〇·

香嚴集

瞿飛白 著

秋深了，

桐葉簌簌地落下.

似乎力竭聲嘶的喊道:

「魔王又在這裏催逼着我們了，

人們！精進啊，

○　　○　　○　　○

也不要軟化在這魔王勢力之下罷.」

楓樹的葉子，
越發紅了．
牠不願做霜露的征服者．
　　　　〇　　〇　　〇　　〇

江心底明月，
算有能耐的了，
洶湧的波濤也逐牠不去．
　　〇　　〇　　〇

春天的風，
是花的恩人；

—2—

秋天的風，
是花的勁敵；

一樣的風，

恩仇可不同了．

○　　　　○

時計的秒針不用走罷！

人們寶貴的光陰，

被你一分一秒的斷送了．

○　　　　○

冷風颯颯地吹破了窗上的紙，

○　　　　○

—3—

窗紙在那裏悲切的吟哦了．

　　○　　○　　○

憔悴了我……他．

消瘦了菊花，

蕭瑟了蘆花，

　　○　　○　　○

蟋蟀在牆陰下悲哀苦切的叫着．

哦！

牠是個被棄于秋神者之一．

　　○　　○　　○

征程不見楊柳，

大約蜀中沒有春風吧？

　○　　　　　○　　　　　○

似乎要阻住我們的去路．

高山聳起肩膀，

　○　　　　　○　　　　　○

哦！

牠漸漸地低下去了……沒有了，

這時，

　○　　　　　○　　　　　○

愈顯得我的心兒比牠高過萬丈．

　○　　　　　○　　　　　○

心念如潮,
却不能如流水的那樣逝去.

　　　　　○　　　　　　○　　　　　○

鶯兒泣了,

　　　　　○　　　　　　○　　　　　○

眼淚!

點點……滴滴……

小鳥低聲對牠說道:
「展開笑容罷!
春神要發怒了.」

　　　　　○　　　　　　○

　　　　　○

花謝了；

一片一片……

輕輕地落將下來；

恐怕惹動春神的悲腸啊．

○

太陽走到西邊，

樹影却跑到東面去了；

○

啊！

誰是多情？

誰是無情？

○

○

如銀似的雪海，
把青山沉沒了．
我立在最高峯上；
却似萬頃一葉．

○　　○　　○　　○

風聲兒呼——呼——
好似老天嘆息；
雨點兒淋淋，
好似老天哭泣；

○　　○　　○

—8—

嘆息——哭泣——

那無非替我們苦惱的衆生着急.

○　　　　　○　　　　　○

流水聲浪傳入耳鼓,

我心漸漸的沉寂下去.

可是一轉念間,

竟攪動腦海的波濤.

○　　　　　○　　　　　○

故人——知音——

遠在天末,

——9——

仰祝白雲，
替我們傳遞消息．
　　○　　○
是同一樣的幻景啊．
鏡裏的我和鏡外的我，
　　○　　○　　○　　○
馬頸下的鈴子，
叮叮——噹噹——
我的心兒，
又飛到金山塔尖兒上去了．
　　○　　○　　○　　○

——10——

○

我立在最高的山頭上一嘯，

羣山盡拜伏下去了。

○

一對白鷗，

被圍在雪浪裏頭，

不定的浮起沉下．

人們的榮……辱……生……死……

還不是同牠一樣．

東風又在那裏肆虐了，
可憐！
片片飛花，
竟無棲止處了．
　　○　　○
桃柳媽媽底笑着，
　　○　　○
這是替春神的寫眞．
困悶的思潮，
　　○　　○
與環境的惡魔相應了．

—12—

覺悟罷！

腦海的限量，

盡大千世界的潮流，

只是盛他不滿.

搔首長空，

悵然四顧，

知音……

只有我的影子和明月！

—13—

雲飛無意，

不過人們識神上生一種痕跡罷了．

情誼能在想像的心念上留存地步，

這才是真有價值的了．

我願化做空山的白雲，

悠悠──蕩蕩──

小鳥也算是多情的了．

牠不忍落花被人踐踏，

一片片啣到窠子裏去了．

　　○　　　○　　　○　　　○

閑看着桃……杏，

開花了，

結實了，

最後！

　　○　　　○　　　○　　　○

不過博得大家一個批評是酸——是甜……

—15—

明月伴着花陰，
但恐怕驚醒牠的好夢.

○　　　○　　　○

我疑牠又受了誰的欺負，
在那裏流泪了.

○

一夜的露水浸滿了桃顋，

○　　　○

過去的我那樣，
現在的我這樣，

○

未來的我又怎樣呢？

——16——

洪——洪—— ○

我說：

「鐘聲！

快放大了喉嚨，

叫醒了人們的沉沉迷夢.」

聲聲的砧杵，

把我萬種的愁懷搗成一片.

——17——

惜春心事，
盡在萬聲啼鳥之中．

夜闌了，〇　〇　〇　〇

萬籟寂然，
秋鶯偷渡過明河了．

如荳的燈光，〇　〇　〇

慘澹無力的照着斗室，

同征人一樣的憔悴了．

—18—

○

我睡在綠茵上面，

○

覺得牠又柔、又軟、又稠、又密，

○

便是嗅着那一種微妙的清香；

○

連心地總清涼了.

○

深夜中萬籟寂然，

○

那正是微妙的歌聲啊.

○

○

○

梅花站在高嶺上面，

○

○

○

瞧着桃李笑道：

「你們為什麼蹣跚來遲了？」

○　　○　　○

小鳥悲傷了，

○　　○

我說：

「花開花落，

干卿底事呢？」

○　　○　　○　　○

鷹兒在半空裏一聲長嘯，

○　　○　　○　　○

哦！

—20—

牠凌雲高歌了．

站在峨嵋峯頂上，

看那萬頃的雲海，

天總縹浮起來了．

霧漲把千山沉沒了，

我欲駕着清風，

渡過這片汪洋．

—21—

我要開闢煩惱之田，
耘種那無量究竟的快樂種子．

○　　　○　　　○　　　○

樹枝是很可厭的，
牠把月影舞碎了．

○　　　○　　　○　　　○

風姨怒氣衝衝的走來，
綠蘋迴避了．

○　　　○　　　○　　　○

我最歡喜立在最高的山峯上面；

瞧着四面的風雲起處.

○　　　○

山影倒入清溪裏頭,

魚蝦在山頂上遊戲了.

○　　　○　　　○

快樂的途徑,

只有從解脫的方面可以走去.

○　　　○　　　○

東風把花枝吹得零亂了.

蝴蝶慌忙起來,

○　　　○　　　○

——23——

不住的上上下下要想擁護着．

月明如水，

我疑惑大地陸沈了．

愁聽一夜點滴之聲．

曉看花容，

消瘦許多了．

我恨不得揮起老拳，

—24—

把那虛空搗碎，
好另造一個快活的世界.
○　　○　　○

靜悄悄底高山，
○　　○　　○

淡蕩蕩底流水，
那就是我識神上莊嚴的國土.
○　　○　　○

紛擾擾底人們，
誰不是銀幕上的演員啊？
○　　○　　○

—25—

我把萬里的鄉心，
擱在郵筒中寄去．

閉目凝神想着，
好似到了故園舊處．

　　　　○

　　　○

　　○

山谷裏的花草，
牠是具有奇特性情的．
牠看不慣世間底擾攘——紛紜——
牠願意常伴着孤寂——凄清——

　　　　○

　　　○

　　○

　　○

黃鶯在綠陰下啼泣了，

嗚嗚——咽咽——

咦！

牠究竟爲誰傷感呢？

○　　○　　○　　○

我騎在馬上，

聽着潺潺溪水，

恍疑身在舟中了．

○　　○　　○　　○

一粟之身，

浮沈在人海裏頭，

時間——催迫着；

空間——監督着；

自由幸福，

却遠避我們了．

○　　　○　　　○

燕兒喃喃啼着，

似乎對他主人說道：

「久別了，久別了．」

○　　　○　　　○　　　○

燕兒！

你還認得故窠麼？

還見得你舊主人無恙麼？

燕兒容顏慘澹了，

啼聲越發悲切了．

○　　○

燕兒還沒忘了故人，

一年也作一度的相會．

○　　○　　○　　○

可是光陰老去，

他們想見之下；

不知應該怎樣感慨呢？
○ ○ ○
我！
○ ○
不曾離巢之燕，
凄涼遙闊．
征程，
依止家何處！
陌頭——天末——
○ ○ ○ ○
燕兒撲食小虫，

——30——

小虫哭着說道：
「你何不留些恩深？
留待以後相見.」
○　　○
春殘了，
牠們可皆無恙？
欲問山花消息，
○　　○
○　　○
空山裏的鳥雀，
自在的飛行優游着.
○　　○

—31—

牠們眞好似高隱了．

○　　○　　○

愁心與征程共進．

我禱祝天帝，

「請你將古今底憂愁種子，

都下入我的心田裏去罷，

勿再分給別人了．」

○　　○　　○

我坐在白雲深處，

許多小鳥的歌聲

由那松風輕輕吹送過來；

心境上不覺與牠打成一片了．

〇　　〇

和四面的高山接吻了．

天老兒把頭慢慢低了下來，

白雲初漲的時候，

〇　　〇

春神才受着萬有的歡迎，

一瞬間，

又承着牠們很悲哀的相送；

其中難道另外還有人在那裏操縱嗎？

　　　○　　　　○　　　　○

精神上的「我」是知，

物質上的「我」是執，

其實，

同一偏計啊！

　　　○　　　　○　　　　○

小鳥底歌聲和滴漏雨聲，

　　　○　　　　○　　　　○

零零──落落──

好相一拍一和似的．

我欲着天風之裳，

奔雲之靴，

以優游蓬萊——瑤島——

造物的主，

是人們的大敵，

滿布着愁苦生死的惡魔；

殘酷——凶險——

曷其有極？

心地是悲哀愁苦的戰場，
　　　○　　　　○

誰勝了，
那便是誰的領土了．
　　　○　　　　○　　　　○

愁魔和詩心交戰了，
結果！
　　　○　　　　○　　　　○

勝敗都集在我的一身．

我坐在樹林下面．
　　　○　　　　○　　　　○

——36——

潺潺底流水，

在那裏替我操琴了．

○

○

○

靈化做清風飛去。

向着空山裏長嘯一聲，

滿腔的愁怨，

○

○

○

只有替自己做活計的……

是個不求工價的匠人．

○

○

○

集天下的力士，

他能將人們的生死搬開去麼？

○　　　○　　　○

「善」和「惡」的判斷，

只在良心上的那一點，

法律，

本來是機械的啊！

○　　　○　　　○

微波蕩漾着，

燦爛之月光，

—38—

變做金蛇之影了．

暮雲漠漠，

天老兒把繡幕扯攏了．

我要鑿山成杯，

傾海爲酒，

與天老兒猜個拳兒，

看是誰勝誰負？

―39―

心田裏的愁苗，
受着雨露的潤澤，
越發怒苗了．

〇

坐在茂林深裏，
靜聽着風篁水韻．
快樂之神，
在我心房裏跳舞了．

〇

〇

無音的心曲，

〇

〇

—40—

無絃的琴聲，

在那終古裏頭；

無間——無斷——

依舊兒淙淙錚錚．

〇

最濃郁而嬌豔的是桃華，　〇

最純潔而幽香的是蓮華，

最清冷而恬淡的是我心之華．

〇　〇　〇　〇

風姨狂舞着，

〇　〇　〇

幾乎折斷楊柳之腰．

○　　○　　○　　○

惡濁的塵氛，

積深養厚．

我欲在天的上層，

開一扇的窗兒．

○　　○　　○　　○

紅稀綠暗，

在那無情的風雨裏頭飄搖着．

哦！

牠猶是未了之因啊.

　　　○　　　　　○

春色宜人,

只恨牠歸去太早.

待得隔年相看,

又感着大好的韶華易老;

唉!

　　　　　　　　　　○　　　　　○

苦惱——

　　　○　　　　○　　　　○　　　　○

我…………

我欲粉碎萬有，
以還歸於造物主．

○　　　　○

我將無邊底風月，
盡情收入詩囊．
推敲研細，
那就是新詩的資料了．

○　　○

○　　○

○　　○

一樣受着雨露，
怎麼菓甜瓜苦？

情懷萬種，

○

我且將他收入詩瓢．

○　　　　○　　　　○

這樣：

打破那一切對境上的「人」．

解放那一切自心中的「我」

○　　　　○　　　　○

可以息未來際的戰爭了．

空山裏頭，

○　　　　○　　　　○　　　　○

最微妙的……

是丁丁的伐木聲，

喁喁的鳥語聲了.

○ ○

一陣狂風，

羣山皆被牠吹得歪斜零亂了.

○ ○ ○

黑暗之夜.

一個偌大的宇宙，

盡被明月和盤托出了.

○ ○ ○

——46——

擁月於懷，

月兒深深底眠去了．

降雨是老天流汗，

風生是老天揮扇，

只是一些可憐的衆生們；

熱惱如何能斷？

巫峽怎的那樣奇秀？

— 47 —

誰是造作者？
悠悠底逝水，
你能告知我麼？
　○　　　○
灘聲如號，
像是警告舟行的人們．
可是苦海裏的衆生，
又憑着什麼出險呢？
　○　　　○
靜聆着江聲，
　○　　　○
　○　　　○

江聲鬱鬱；

閑看着山色；
山色沉沉；

我一片一片的幽思啊，
向誰說去？
〇　　　〇　　　〇　　　〇

逆境是向上墮落的關頭，
朋友們在這裏小心點罷．
〇　　　〇　　　〇

從反面觀察，
〇　　　〇　　　〇

最可以得到實際眞像的所在.

○　　○　　○

大智若愚，

○　　○

所以在在處處……

○　　○

但見着聰明人了.

○　○

滔滔底流水，

○　○　○

是千古愁人之泪.

○　○　○

放鶴空山，

聽鶯綠野，

不知要添得幾多興趣？

○　　　　○

夢中的事業，

一刹那可以經過無限的滄桑．

其實，

世間上的事何嘗不是這樣呢？

○　　　○　　　○

日月如舟似的，

牠一天一天……

○　　　　　○

偷向光陰中渡過去了.

　　〇　　　　　〇　　　　　〇

韶光遷流的速度,

　　〇　　　　　〇

但看形骸上的變易就知道了.

　　〇　　　　　〇　　　　　〇

在金錢的孔裏,

　　〇　　　　　〇　　　　　〇

可以察看一切的人心.

小我是生活的工具,

　　〇　　　　　〇　　　　　〇

大我是幸福的工具,

無我是解脫的工具.

○　　　○　　　○

零落底鳥聲,

勾起諷海無限的思潮.

囘看着梨花,

牠亦容顏憔悴了.

○　　　○　　　○

光陰本來是不生不滅的啊!

只怪多事的日月,

將牠一天一天斷送了.

—53—

感人最深的，
就是幾堆白骨了．

桃花潭水，
層層相映着．
竟好似水底碧天；起了暮雲．

微風吹入碧潭，
潭水慢慢鼓蕩着．

且俯首看去，

哦！
山光人影，亦皆戰慄起來了．
　〇　　　〇　　　〇

蕭齋寂寂靜坐着，
　〇

沙——沙——
庭前底綠竹，
又唱起秋之歌來．
　〇　　　〇　　　〇

青蛙成天的聲嘶氣咽的啼着，
　〇　　　〇　　　〇　　　〇

這是牠不平的心中所流露的哀音啊. ○ ○ ○ ○

你可以不用啼了罷. ○ ○ ○
蛙兒!

花枝睡熟了, ○ ○ ○

夜闌了, ○ ○ ○

臨風揮泪, ○ ○ ○
把滿腔的愁絲抽盡了罷. ○ ○ ○

「難」字是事業之敵，

人們！

努力和牠激戰罷．

〇　〇　〇　〇

流水溗溗，

牠也替我作不平之鳴了．

〇　〇　〇　〇

我欲無言，

我欲無形，

我欲無情．

悄悄底坐着，

默默底想着；

腦海的波濤；

竟洶湧起來了．

凄涼風雨，

如何偏是客中多？

只聞人語聲，

—58—

不識人何處?

跼踽山中行,

詩情添幾許.

〇　　〇　　〇

我願人人持丈八之矛,

執禦敵之盾,

努力與那生死的魔軍鬥着.

〇　　〇　　〇

風姨走過空林,

林木喁喁的在那裏和牠私語了.

人們是明明知道免不了生離死別的；

可是，

越是愁苦了．

越是知道了，

鳥獸着了人的衣冠，

或許比人類還要善些．

顧天有月，

顧我有影，
一身悠悠萬里，
也不算得寂寞了．

○　○　○　○

他低着頭兒沉思了．
一滴一滴心頭之血，
從筆尖上流出來了．

○　○　○

永生的虛空，
牠立在山坡上笑我們多事了．

— 61 —

秋虫！

○　　○　　○

你替着人們太息的呢？

還是爲着自己太息的呢？

○　　○　　○

自然律上的變化，

牠仍然脫不了時間和空間的操縱啊．

○　　○　　○

最大的儲藏室，

怕是心房了．

— 62 —

喜怒哀樂，

他能一起收藏着．

〇

〇

〇

歲數一天一天的增加，

是造化送給我們的禮物．

我們只有把死滅去報効牠．

〇

〇

〇

〇

要是禁止物質的幫助吧，

生活上不免受了無情的架具；

要是放縱生活的自由吧，

—63—

又恐怕走上危險的路徑；

唉！
我竟不敢有所措置了．
　　　○　　　○　　　○

萬籟漸漸寂靜了，
月兒慢慢底移動了，
啊！
　　　○　　　○　　　○

牠畢竟是我心靈上的恩物．
　　　○　　　○　　　○

我要將我的心兒拆碎；

一點點分到萬有裏去．

那末，

宇宙成做一個我的世界了．

○　　　○　　　○

反戈自向，

然後才可以知道一切相對的心理啊．

○　　　○　　　○

倘若死神可以利誘，

我很願意盡我的能力，

代一切物類謀永久的生存．

膽囊裏的苦汁，

是受着環境的賜與，

和心識生活所貯藏的．

風聲雨聲，

送過紗窗，

一陣——兩陣——

報與愁人知曉．

——66——

我越是安慰她，

她越哭得利害了，

還是不安慰的好．

〇　　〇　　　〇

生活上的要求，

精神上的使命；

解放和自由的信條；

竟爲他罷盡了．

〇　　〇　　〇　　〇

對於上底「美」和「非美」，

—67—

受着歡迎和反對的熱潮，
竟引起互相的決鬥；
唉！
這是慾望的罪過吧？
　　○　　○　　○
微風輕輕吹着，
樹葉沙沙落將下來，
那嚴肅沉默的裏頭；
似乎有無窮悲慘的歌聲．
　　○　　○　　○

—68—

詩人是宇宙的靈魂．

不變不滅，

那才是詩人長久存在的精神，

○　　　○　　　○

踏月而歌，

擁月而眠，

樂陶陶地；

被人當做神仙看，

○　　　○　　　○　　　○

無限的歌聲，

—69—

無限的詩意，
一入愁腸；
盡化做淒涼的資料．

○　　○　　○

更現出無窮秋意．
蒼茫幽鬱的裏頭，
冷冷的明月照着寒江．

○　　○　　○

晚對江村，
夕陽——楓影——

他在那裏工作了，

樂陶陶地心運之神，

○　○　○　○

我說：

「雁啊！

故園自好，

你何必長此奔馳呢？」

塞雁又來了，

○　○　○　○

一樣好看啊．

—71—

惡劣環境之魔；
皆被他改造和降服了．

　　　　○　　　　○

大幻無形，
大樂無情，
甯靜而幽寂底；
是天地的至音．

　　　　○　　　　○

環境是黑暗的牢獄，
我是其中極不自在的拘囚，

　　　　○　　　　○

啊！

訴與誰？

誰是公正裁判者？

○　○　○　○

春神和一切接吻了；

一切撲向牠的懷裏，

展着淺淺梨渦笑着，

片片紅雲竟映滿桃顋了．

○　○　○　○

一陣陣歸鴉，

—73—

鼓着翅兒，
努力匆忙的飛去．

但是，
歸鴉！
你快樂的家園，
畢竟是在何處？

○
○
○
○

歸鴉，
你的前途越發黑暗了！

請你仔細點兒罷，

不要入了歧路.

○　　　○

歸鴉！
你明朝却仍免不了分飛的愁苦，

○　　　○

可憐！
天涯盡頭，
誰能做你終身的伴侶？

歸鴉！
你喃喃說些什麼？

○　　　○　　　○　　　○

―75―

命運已是你幸福上的叛徒.

悲怨淒涼,
且向着你自己哭訴.

○　　　　○　　　　○

大家起來幫助幸福之神運動罷,
苦惱的魔王;
終要戰敗牠才好.

○　　　　○　　　　○

自然界的科學化,
牠利用秋的勢力,

解剖一切；
分析一切；
○
以研究宇宙物體的可能性了。
○
○

夕陽悄悄下了山坡，
黑幕四面重重的垂起．
寂寞的詩神，
在那裏吟哦了，
與一切接吻了．
○
○
○
○

燭淚點滴的流着，
牠替一切傷心人寫照．

○

心是苦的麽？
但不應該有時快樂．

○

心是樂的麽？
但怎的與苦相應？

○

唉！

奇幻的心兒！
詭祕的心兒！

—78—

〇

〇　〇　〇

回想着前塵，

嚼蠟般的無味．

未來，　　　　〇　〇　〇

怕仍是現在的過去啊．

〇　　〇　　〇

雨聲不住的敲着玻璃窗子．

工愁的窗面；

〇　　〇　　〇

泪盈盈的哭了．

〇　　〇　　〇

—79—

碧沉沉的明月，
將一切浸入牠微妙的情泡裏頭.
萬籟寂然唱歌了，
似乎說：
　「月啊！
　你是宇宙永久而不變滅的詩心.」
　　○　　○　　○　　○

郵差，
他滿袋子裏裝的喜、怒、哀、樂，
寄向有情人去.

落葉的消息,
問那西風就知道了.

○　　○

白雲是不會厭棄我的.
但牠爲什麼離開我的頭頂,
匆匆地飛到別處去呢?

○　　○　　○

要是她的眼泪足以安慰我,
我願意久遠的藏在她的眼眶之深處.

○　　○　　○

○

花當將要離開故枝的時候，

幽思深藏在牠盈盈的醉態之中．

○　　　　　○

受着她愛的資養，

衝動我的心靈；

啊！

○　　　　　○

這不是愛，而是愛的操縱者．

是
的！

○　　　　　○

○　　　　　○　　　　　○

你唱歌罷，
但不要將你的聲音，
送到粗淺人們的耳朵裏去。

○　　　　○

心裏的愁苦；
至多只能將他表現在沉默的當中。

○　　　　○　　　　○

太陽是天天出沒的．

○　　　　○　　　　○

但牠要說：
「你們一切的生命皆是我給你們的。」

—83—

然而「死」只是上帝的恩惠.

○　　○　　○

無聲無臭的光陰暗暗遷移着,

牠是厭棄一切麼?

○　　○　　○

我在斗室之中,

我緊閉雙目靜坐着.

覺得把天地扯進斗室中來,

○　　○　　○

而且使牠縮小同於一粒微塵了.

○　　○　　○

—84—

可憐的秋聲，

牠爲着一切而呻吟了．

○　　　○　　　○

可是，

搖籃似的船兒，

乘着風直向着牠平安的地點衝去．

四面的惡浪，越發包圍上來了．

○　　　○　　　○

我願踏碎了崇巍的山，

補盡世間不平之路．

— 85 —

尾聲

詩啊！

詩啊！

你是神祕中的怪物吧？

你是冥頑不純的知覺性吧？

　　　　○　　　　○　　　　○

來──來──

你潛藏在我心房裏游戲麼？

抑還是躲在環境裏工作呢？

　　　○　　　○　　　○　　　○

—87—

是了.

你是詩人的靈魂,　　　○

你是高尚的歌者,　　　○

你尤其是萬物究竟微妙之神啊.　○

你——能柔,能剛,　　　○

親密,溫存,風雅;　○

更能映入我心坎的深處.　　○

我呢!　　○　　○　　○

— 88 —

我是你麻醉的試驗品.

直筆伸紙,

悉皆聽着你的使命啊.

○　　　　○　　　　○　　　　○

當你與致來的時候,

一切皆化做你工作上的資料,

一切皆靜悄悄聽候你的支配了.

○　　　　○　　　　○　　　　○

詩神啊!

知音啊!

你是我生命之素.

我那枯寂無聊的生活裏頭,

只有你能安慰我、

只有你能開導我;

那末;

我與你結爲永久精神上的愛罷.

一九二七,一一,二七,於滬.

中華民國十六年十二月出版

▲全一冊▼

▲外埠寄費酌加一成▼

實售洋二角

香嚴集

（全一冊）

版權所有

著作者 瞿飛白

發行者 泰東圖書局

發行所 泰東圖書局

總發行所泰東圖書局

上海四馬路一二四五號

分售處 各省各大書局

晨露

嚴廷梁　著

作者生平不詳。

群眾圖書公司（上海）一九二七年十二月初版。
原書三十二開。影印所用底本版權頁缺。

晨露集序

晨露集

一九二二年的時候，曾對契友塵萍等說；『凡被瀰漫瑣碎的思潮所禁錮住，能寄釋到詩的靈孕上去，感滿同情，那麼？就是弱小的心痕和偉大的天然界成具以眞摰的擁抱。也是愁緒滿懷的心房中的曙光者，眞趣者。』說完以後若輩便疑猜我能於詩壇上樹一幟之矯健者，竟戒飭我努力的向前進行。那時！實在終始沒有這樣淨潔的宏願來供獻，但只蘊藏這樣堅誠的旨趣的意志存在罷了。

一九二三的秋月，因疴隱跡于渺覡塔上。西紗窗下，不漸的寒風綿雨蕭蕭滴滴，不盡的鬱怵凄緒，徘繞隱悠。輒逢夕陽一縷，失魂之我，暮愁旋繞，愁極而隅成一詩。花前月下，就誦摰詞，胸襟超曠。復而捲簾徘眺，疎星數顆，散漫空際。皓月似鏡，光華燦爛如銀瀉地。俯視清溪，清月倒映，微風蕩漾，碧流漣漪，寒光千縷，閃閃爭輝，璀璨穾

1

〜〜〜〜晨　露　集〜〜〜〜

目。迴顧對岸羣綠堤柳，疏影嬝娜。縹緲宇宙，寂寥淸靜。夜深矣，寒氣襲人，閒窗思倦，塔前紫林枝上杜鵑驚翔，啼聲淸妙；復聞疏鐘相間。斯時也，身溺淸涼之境益增渺渺悲緖。歸塌後，倐憾蹉跎，疊疊似潮，心潮旣澎，否能入眠則釋之詩。詩畢重誦，欣樂增生，憶！詩寄於情，足可葬我悲鬱也。

天然界——是絕對的美詩；是天然境地的藝術者；詩人的性情——是天眞爛漫。他的聰而且慧的魂靈，是與天然美飄泊中的一吻。每刹那間，都在織成完美的幽趣的宇宙。然而他的心思，總是縹緲的曲折的絲絲縷縷，的思痕，逗留在一幅美圖上，也是他最偉大的炯潔的安樂園。

這本寫聊粗陋的晨露集，是一掬一掬草下的。在這二年之中，日聚月疊着。再查查小册子上倒有好像雜亂無章的流水簿賬也般的東西出現。實是友輩慫慂的不過不能不對付，終無刪改的勇氣。尚徬

2

~~~~晨露集序~~~~

徨海內的賜教者，荷感不咎了。

一九二五年秋月，嚴廷樑自序

3

晨　露　集

4

~~~~~~~~~~　　跋　　~~~~~~~~~

跋

心思——任是這樣縈繚，

　　窮途後再追尋牠的光明。

縹緲的——宇宙祇有沉靜，

　　惟有癡者唱牠的角兒呵！

茫茫的——滄海任是奔波着，

　　歸途的遊子憑窗而悵惆呵！

嬌艷的——花枝兒嫋娜呵！

　　那麼開了你的花香便有我的心果呢？

5

~~~~~晨 露 集~~~~~

目 次

6

～～～晨　露　集～～～

（一）

心途中的遊子，

對宇宙說——

我現在再也不能向前跑了；

　　請指示我的黑暗罷。

（二）

詩意兒，

是寂寞和憂鬱中的潮流兒；

寄跡在欷欣的世界裏。

（三）

砰湃的波濤，

任只不住的飛跑着；

　　靜美的月色，

不住的崇讚牠的勇敢。

7

~~~~~晨　露　集~~~~~

（四）

悟了自然界的愒樂，

真好像級石般的層層呵！

（五）

朋月呵！

我因小小的朦蔽，

却不能睹你的玉貌；

　少時——

啓窗迴顧，

　你也被什麼魔力所逼；

　却不能睹我呢？

（六）

金雞一啼，

她從簿衾裏爬出來；

　抬頭一瞥——

8

~~~~~晨　露　集~~~~~

一掬陽光，

也和她同情。

（七）

遊子惆悵的，

何處返歸；

付與薄倖的山河罷！

（八）

囚人，

目前的黑暗；

心絃內的光明。

（九）

一杯清澄澄的水兒，

也是渺茫海中的源祖呵！

一句詩，

9

~~~~~~晨 露 集~~~~~~

砌着偉大世界的踪跡呵！

（十）

童人呵！

我要頌讚你——

　　世界上的高歌兒，

也在你心絃裏彈奏。

（十一）

　　失戀的悲慘，

　　　瀉着哀苦的情淚；

她可同情麼？

　　　而後——

英氣勃勃，

　　　歷過險惡的苦海；

　　　再求純粹的功作去。

10

~~~~~~晨　　露　　集~~~~~~

（十二）

朔骨的冷風，

將我「心花」兒的香馨兒，

　　吹散在天際上；

將我花蕊的潤兒，

　　吹沉在苦海裏；

我的愛情，

　　也悄悄的散去了。

（十三）

小弟弟的神祕，

是我心靈中的歡樂；

　　也是我聰聞了的艷澄。

（十四）

詩人，

你甯可與沉靜爲蜜友；

11

~~~~~~晨　露　集~~~~~~

不願與喧嘩爲侶伴。

（十五）

縹緲的明星呵！

雖是微芒閃爍着；

便有許多的蜜月旅行者，

在你烽芒裏；

縱述他倆的情話。

（十六）

蔚藍太空下，

一朵似雪的白雲兒，

隱隱自驕的飄蕩着；

要曉得詩人窺覷你，

你一切的明豔；

他便有了譏諷的寓意了。

12

~~~~~晨　露　集~~~~~

（十七）

老朋友，

指示我——

我是飄泊無歸者；

　何堪眺望前程的黑暗呢？

（十八）

　清脆的鶯聲，

　和諧的笛音，

心絃中的奏樂；

　世界上也抱着樂觀了。

（十九）

　一縷一絲的氤氳青煙，

　悠悠的飛上雲霄；

我也願意隨着你，

　領略瑤池的風趣。

13

晨 露 集

（二十）

更深人靜的靜夜，

我正孤單單的徘徊間；

忽而時計的噹——噹——

心房中的思潮，

也隱隱約約的挑逗了。

（二十一）

瀰漫的思想，

似奔的澎潮流兒，

寂靜的「心舟」兒；

也溺入了水便傾覆了。

（二十二）

母親滿了慈悲和悲觀的心思，

小孩子只有天真爛漫，

14

～～～晨　露　集～～～

也就是母親執着明燈；

照耀孩子的黑暗路呵！

（二十三）

今天對牠說呵！

你枝上的嬌麗的花朵鮮豔着；

　等會兒——

讓風使與牠甜密的接吻呵！

（二十四）

　智識，

是嶇崎的千萬嶺峯；

　越是勇氣的跑去，

平潔的歧途，

　越顯得隱隱恍惚的相近了。

（二十五）

15

~~~~~~ 晨　露　集 ~~~~~~

娉婷的花影，

給我瞧見了；

　　心田內便有幻中的花魂了。

（二十六）

在深徑中彳亍浮泛的靈魂兒，

　是飛絮的飄舞；

茫海中，

青山上，

　遙望一切的幻景時；

特返後牠便有了囘憶的眞趣。

（二十七）

風，

　雨，

　　雲，

　　霞，

16

～～～晨　露　集～～～

是宇宙趣劇的銀幕台呵！

　　翠山，

　　碧海，

　　森林，

是幕內的佈景呵！

　　翠山的獸類喧嘩着，

　　碧海內的魚兒游泳着，

　　森林上的鳥兒飛翔着

又好是劇台中的主角兒呵！

　　　　（二十八）

　　智識的思索，

微芒的星光，

他倆正在眺望對語；

　　為什麼一片的淡雲兒巡逡呢？

　　　　（二十九）

17

~~~~~~~晨　露　集~~~~~~~

悲風狂吹着，

　驟雨傾倒着，

心神煩亂了；

一切是砰湃蕭條，

　久別的太陽呵！

攻擊牠罷。

(三十)

牠是飲過玫瑰的蜜露的，

　這般嬌滴滴的似安琪兒呵！

牠正唱着和諧的歌聲給世界聽，

世界上的人却想和她親蜜了。

(三十一)

天真的孩子們，

你活潑時，月兒便笑你是輕浮的。

牠那明亮而靜的美氣宇，

18

~~~~~~晨　露　集~~~~~~

你可失望麼？

（三十二）

有學識的人，被同類所羨慕，

然而他也是從盲人途上走來的。

（三十三）

黃金，

囂亂了世界；

若是拋在黃澄澄的海裏呢？

也不過噗哧的一聲響亮。

（三十四）

小妹妹，

你是我親善的侶伴；

你嫣然一笑，

你柔軟一吻，

10

~~~~~~~晨　露　集~~~~~~~

我一切失戀的悲慘，

也都被洩去了；

　　而今——

　　我瞥見光明時是你，

　　一切都是你所賜。

　　最冽骨的寒雪，

　　足以表示嚴寒的退步呵！

　　　　（三十六）

鶯聲，

你的玉音旋繞着春風；

　　春風吹動我的心房，

　　我就愛聽你的妙聲了。

　　　　（三十七）

明星呵！

20

~~~~~晨　露　集~~~~~

微光的，

皎潔的，

　　也能描寫幾句詩兒；

　　在蔚藍的西天上。

　　　　　（三十八）

　　惆悵的愛情，

　　　是一片浮雲兒；

　　在天上飄蕩一下就失跡。

　　　　❋　❋　❋　❋　❋

　　崇尚的愛情，

　　　在任何環境上；

　　都像巖石般的立在險嶺上。

　　　　　（三十九）

　　市場上，

　　是譁聲瀰漫；

　　　　　21

～～～～晨　露　集～～～～

那嬝娜柳枝兒的小鳥悟！

婉音清妙；

　　彼處蔚藍天空與那海波交映的青山裏，

寂寥無聲響。

　　　　　　（四十）

　　嬰孩呵！

快從母親中醒了來，

　　枝頭上的小鳥歌罷着；

牠的原聲似乎正與你的小魂中對語呢？

　　　　　　（四十一）

　　心房中的思潮，

如何佩仰牠——

　　有你的宇宙，而尋求來宇宙中的萬象。

　　　　✳　✳　✳　✳　✳

　　思想的活潑，

如何羨慕牠——

　　　　　　22

~~~~~~晨　露　集~~~~~~

有你奔濤的大海，而不如我大海中的錦鱗游魚。

❋　　❋　　❋　　❋　　❋

心思的幻變，

如何頌揚牠——

於最大的世界上，而終尋不得牠的足跡●

❋　　❋　　❋　　❋　　❋

（四十二）

新婚明夜的窗下，

月兒披着亮晶晶的衫兒；

微笑笑的說，

房內的一對新人呵！

千萬要向光明途上走去呵！

（四十三）

怨人看視學識是皎月般的皎潔，

然而最有學識的人看待自己是任站在黑暗的途

上呢？

53

～～～～晨 露 集～～～～

（四十四）

弱小的心絃，

「思想」來彈彈牠；

有腔有調的奏唱着。

（四十五）

詩人，

天空中的靈魂；

追道了青山茫海園林的幻途，

歸來後而得倒他途中的寶物。

（四十六）

小屋宇，

微人的安頓處；

偉大的世界呵！

我也尋求了青山與湖光的異呵！

21

~~~~晨　露　集~~~~

（四十七）

童兒，

呆呆的瞻仰天上的羣星；

也許瞥見一幕自然趣戲的一般呵！

（四十八）

將我的心血，

澆灌全世界的花兒，

等着妙年姑娘的旅行者；便生了羨慕牠的心了

。

（四十九）

孩兒嗅着花香時，

便開了窗取了牠的花根；

自以為愛惜牠了。

25

~~~~~~晨　露　集~~~~~~

（五十）

小燈呵！

紅塵上好許的污穢在牠光華裏；

若是燃在世界上的「人」心房裏呢？

人類的陰險詭仄的刁心，

　　也就伏伏的倒在他微光懷裏。

（五十一）

安靜思眠的我，

「魂」屋中的小門門緊緊鎖關住；

　　一會兒要夢了——

　　小門門悄悄的開着；

天亮時——

　　等候香魂的小門門任站在小門傍呢？

（五十二）

風使一搖扇，

20

～～～晨　露　集～～～

世界上萬物都顫動了；

　　而然我的「心魂」兒，

也冉冉的觸了這徐風便飛出看景了。

（五十三）

　　淸澄澄的小池裏，

也有看天劇者的靑蛙，

不住的叫朶着；

　　太空的劇員任是這樣的滴着，反不曚牠一眼。

（五十四）

　　綠盈盈的靑草呵！

萬物威權的足來踐踏你，

你只能顫動的含淚着；

　　但是只有微芒的螢兒，

　　隨伴你安慰你心了。

27

~~~~~~晨　露　集~~~~~~

（五十五）

井底的小青蛙呵！

瞥見一縷的月芒便高唱不休；

　　月兒在遙望你，

牠冷靜般的胸膛便只恩賜你一線的光華，還嘲笑你

是傻氣的東西。

（五十六）

白髮祖父的談笑間，

話語使我覺悟恐怖，

　　我顚睡後醒來再聽他的故事了。

（五十七）

深秋的花呵！

天使立刻把花瓣採去在他囚禁裏了。

　　青年，

28

~~~~~ 晨 露 集 ~~~~~

在少時無意識中的愉快；

　　在衰老先後應防止天使的憂愁的籠罩呵！

　　　　　（五十八）

　青萍，

蕩蕩的浮在澄湖上；

　生命——

使繫着一葉扁舟，

　　在這須臾光陰裏；

　　悄悄的駛過去了。

　　　　　（五十九）

　晚霞燒通了西天發出熊熊的火來，

　世界上的人瞥見了霞光反而說；

　縹渺的光華，照耀了東方的灰黑土地。

　　　　　（六十）

29

～～～～晨　露　集～～～～

碧草呵！

春光裏站在庭傍，

我的愛人深秋時顫顫的向我說，

　　親善的良伴呵！

　　願祝你不要萎謝。

（六十一）

「心海」的小舟呵！

要領略水途的真趣；

向着邊堤微蕩吧！

（六十二）

小孩子惟有天真，

花兒祇有豔麗，

我這活潑的詩句兒也摘在闌裏了。

（六十三）

30

~~~~~晨　露　集~~~~~

小孩子在母懷中任是酣睡，

醒了過來；

起始在園中遊戲喧譁着。

（六十四）

你踏在愛河裏，

那溫柔的微浪；

會衝上你「心舟」中。

（六十五）

思想，

當你來時而看不見形影；

而竟亂撥心琴不住。

（六十六）

心燈，

我知道牠是點燃在我心裏，能瞥見萬物的偉大；

81

~~~~~晨　露　集~~~~~

若是吹滅了，我也是永久的在歸息了。

（六十七）

當我瞥見嬰粟花之後，

便有牠無形影在我「心田」中嫋娜呢？

（六十八）

小鳥的樂聲旋繞了繁林；

雨點兒的喧嘩聲起奏了，

小鳥兒却飛掉了；

繁林也煩厭「雨」歌了。

（六十九）

月光底下的陰翳亂，

太陽出來的鳥懽聲。

（七十）

82

~~~~~~晨　露　集~~~~~~

悠揚的詩句；

泉流，

我也在大地上聽你沉吟了。

（七十一）

辯論，

無情的利匕；

上了人生的戰線；

勇敢——奮鬥。

我的朋友，

我犯了罪麼？

那眞理的溫泉，却洗濯了你心中的污穢

（七十三）

殘酷的人類、

33

~~~~~ 晨　露　集 ~~~~~

你無情麼？

那太陽神發出慈祥光來，

　　小缸中冰塊兒也還瀉出熱忱的淚呢？

（七十四）

　文字，

　灑了心血；

　　便結出宇宙中的最偉大紅果兒呵！

（七十五）

　　縹渺的雲兒，

　你從蔚藍窗下踱去；

　　小湖傍的羣花也俯覰你的跳舞了。

（七十六）

　光陰呵！

　你今天旋繞時，

34

～～～晨　露　集～～～

我正在工作着；

明天再續線時，

　我已要永息了。

（七十七）

　淺籃的天空大路上，

　月兒來徘徊徘徊；

你行動時，

　天空路上沒見你的黑影；

　然而詩人「心中」却有了你的知識幻影了。

（七十八）

　微微的波濤起了，

我是歸返的「心舟」兒；

　隨着你潺潺的浪花蕩過難行之路了。

（七十九）

35

～～～晨　露　集～～～

我開了心門，

心房中的思想似柳絮般的亂飛了。

（八十）

陽光從窗外射進來，

瞥見時是燦爛光明的；

再要抬頭看看光華的源祖，

眼珠兒却迷了如盲了。

（八十一）

泉流呵！

刻刻要這般的奏樂着；

小石崖聞了你的歌聲，

任只冷靜的輕視你。

（八十二）

玫瑰開了蕾苞，

36

～～～～ 晨　露　集 ～～～～

紅雀暈的兩頰嬌嬌滴滴的說——

　　親愛的人類呵！

　　請不要殘酷我罷。

（八十三）

　　我正在窗下伏案思索，

太陽却悄悄的西去了；

只留下一片黃昏的黑暗給我。

（八十四）

　　茫茫的海波兒，

　　縹緲的雲紋兒，

是浩渺的詩意兒；

　　詩人在院外遨遊，

默默悄悄的思索牠的原韻。

（八十五）

37

~~~~~~ 晨　露　集 ~~~~~

你疑思已經越出了世界，

然而世界眼光下，還只見你在繞迴着。

(八十六)

生命的歸途，

不相識的路遙悄悄的輕撩我過去。

(八十七)

昨天繁雜的思想隱隱的縛纏着，

今天——

　　然而我只能記起牠一些影兒較濃的。

(八十八)

思想呵！

你是細絲兒，纏了我的心繭上了。

(八十九)

38

~~~~~ 晨　露　集 ~~~~~

敏漾的，

　心舟這樣的輕蕩着；

歸岸後；

　心舟上的人，却感謝偏大碧波兒的清趣。

（九　十）

風使把枯葉兒拋在亂坵上，

枯葉哀哀的忘了牠的生母；

便閉眼歸葬了。

（九十一）

酣睡中的嬰孩，

　然而她的小魂兒，正和眞理做答呢？

（九十二）

站在雲端上，

瞥見人間一切的零凋時

3)

～～～～晨　露　集～～～～

便灑下數掬雨。

（九十三）

海外的遊者，

在這偉大的海岸傍，聽了海波的微吟；

便好像家鄉中有了喜音了。

（九十四）

瀰漫的思想，

明明白白的是敲着我心中的房門；

停會兒就走去了，

然而不能看見你的容貌，而衹只知道你的殘影。

（九十五）

依在欄干傍，

看看碧波裏的月光；

這樣的銀光，絲絲縷縷與閃鑠着，

40

~~~~~~ 晨　露　集 ~~~~~~

我無魂靈兒；

也耀耀的活動了，

（九十六）

愛人呵！

惟有你感動我的心呵！

我的微笑也正吻在你芳心內。

（九十七）

我正憑窗對窗外的繁花對語時，

繁花與春光也正在歡欣着，

時時的向我微微的點頭。

（九十八）

勤勤的灌漑牠，

美麗花葿上；

結了碩大的紅果兒。

41

～～～～晨　露　集～～～～

（九十九）

「心舟」正被潮浪兒衝翻了，

「智識」欲託着巨浪去救「心舟」去。

（一〇〇）

圓圓的皓月站在雲端上，

旅行者見了自己的濃影，

便抬頭看看牠；

明月好像緊緊的遠隨着。

翌日——

旅行者任是在這羊腸曲徑上慢行着，

他只見着大地上昏昏的慘光，便又抬頭一看那

一角慘月，遠遠的立在西天上，已經缺了半邊

了，

（一〇一）

42

~~~~~~晨　露　集~~~~~~

碧波是「魚兒」的跳舞台呵！

牠穿了黃衫兒在你的清靜世界裏唱跳，

　　然而漁燈與在台下聽劇呢？

（一○二）

岩石呵！

你要聽聽清脆的奏樂，

　　不在青山上，

　　是在瀑布傍。

（一○三）

青年呵！

你要懺悔吧！

　　因爲你把你手中的嬌嫩花花拋去時，

　　然而牠的美貌就是憔悴了。

（一○四）

43

~~~~~晨　露　集~~~~~

我在春光裏寫我所有的心中的眞趣，

紅桃上的鶯鳥飛下也唱牠的清妙的歌唱。

（一〇五）

若是把「愛情」賜與瀑布受用，

頃刻間瀑布便拋了牠的應受的愛情了。

（一〇六）

遊子，

若是疑思你鄉土黑暗時，

你把你所爲的悲調唱與

「飛鴻」

牠飛去了——

一會兒牠，就月安慰你了。

（一〇七）

魂兒出去和愛人對吻了，

44

~~~~~~ 晨　露　集 ~~~~~~

天亮後我便醒了來，思索剛才的甜蜜；

　　等會兒愛人來了，

我和她說昨天的擁抱的愉快；

她却茫然不知所對。

（一○八）

　　無聊的情緒，

沙沙的雨滴落在「心田」內；

　　「心田」內的嫩花兒美麗了，

　　情緒遞思索牠的果兒。

（一○九）

　　撥琴時，

「心琴」有條有序的和外面的琴默奏了

（一一○）

　　春光裏，

45

~~~~~~ 晨　露　集 ~~~~~~

鳥兒歌唱，花兒如笑；

　　傾刻間深秋裏

鳥兒歸巢；

花兒憔悴；

　　宇宙裏只有——

悽蟲唧唧，

秋風瑟瑟。

（一一一）

　　真理是人生的樂園，

我便說了一句話兒真理的園還只圍繞我的身旁。

（一一二）

　　在月下吟詩，

我便仰觀牠的靜美，

牠便俯視我的清雅；

　　我得了靜美的銀光，

46

~~~~~晨　露　集~~~~~

便想了清雅的詩句兒了。

（一一三）

思倦了，

讓我看看窗外的湖光吧——

　小鳥兒也飛了來，站在菁上荷看了一眼便向我

歌唱起來。我登時欣樂了；

　也吟了一掬詩兒報答牠的愉快。

（一一四）

父親呵！

我便不見你「智識」的容貌，

然而你行行動間，我便知道你有完善的眞理。

（一一五）

深秋的寒夜，

我便獨倚在亭欄傍淒涼着；

47

~~~~~~ 晨　露　集 ~~~~~~

那雨滴兒滴在蕉葉上，

我的淚珠也落在「心田」內悽悽的作響了。

（一一六）

小鳥在園裏唱歌着，

「世界」却靜靜的聽你淸脆的談吐。

（一一七）

春燕呵！

你歸來麼？

我也是隔夜的柳花兒，

請你指敎我何處的窩巢。

（一一八）

花前月下，

我正默默的遨遊時；

那裏的脆歌兒順風傳來；

48

～～～～晨　露　集～～～～

我靈魂便倚在樂聲裏，充滿了蜜語的愛了。

（一一九）

我對青山大發雷霆時，

青山也有無形的武孔聲報復我。

（一二〇）

薔薇花兒，

你穿了嬌紅的輕衫在風世界上搖曳呵！

風世界中的風恨你的驕傲，便孔怒的把你衫兒葬化

了。

（～二一）

太空幕的劇正在演映着；

觀劇者的花兒樹兒也正在搖擺的叫采着；

黑雲兒把劇幕關閉了；

台上下都不響了。

49

~~~~~~~晨　露　集~~~~~~~

（一二二）

西返的太陽，

似乎向靜月說——

前途珍重吧，

世界上的情人也等着你的光華細述蜜語呢？

（一二三）

月光兒一片射在床前，

我便捲簾一睹；

靜美的天然，

遠處的疎鐘，

感謝你天眞的事實；

而撩了我心中的事實。

（一二四）

煩亂的思想撥在心琴上，

便起了以湃的音調了。

03

~~~~~~ 晨 露 集 ~~~~~~

（一二五）

豪富說——

金錢都是我的，

天使把他有的金錢變作鴻毛了。

（一二六）

「文字」國的皇帝，

牠所有的聰慧使者，都賜與世人；

然而世人盲迷不悟，反怨皇帝所恐拙者。

（一二七）

芳蘭呵！

你甯可站在岩石傍；

却不願與羣花對歡呵！

（一二八）

51

～～～～晨　露　集～～～～

「愛情的花」見着自己是所凡愛的便歡笑，

牠的紅果兒經了狂風一吹便落掉了。

（一二九）

月兒愛慕大地，便賜了大大的光亮，

詩人在月下遨遊時，也起了心上的光明。

（一三〇）

孩童迷路了、

母親的智識曲徑告訴他吧！

（一三一）

當我到了天堂上，

再囘顧家鄉簷下的落葉。

（一三二）

心上便再想和愛人接吻時，

「思想」就把愛人迎來似乎與我擁抱了。

52

～～～ 晨　露　集 ～～～

（一三三）

夏間的陽光，

我要躲避牠的威風；

秋爽的明月，

我和牠有好許的神祕，便親近牠了。

（一三四）

虛偽向誠實說，

你的成功不如我的珍貴；

誠實回答說，

你把世界眞理看錯了，以爲是珍貴的。

（一三五）

暮鴉站在枯枝上，自膽爲寒冷中的天神；

天神因爲有許多殘花再跪求牠的美麗，

他便把寒冷收進來，把幸趣賜與殘花。

53

~~~~~~晨　露　集~~~~~~

（一三六）

墳墓；

那青天上的繁星，

茫海中的疎鐘，

同來弔弔你墓內的孤魂兒呵！

（一三七）

小弟弟鈎了新愁時便啼哭，

然而我不應得罪他的心思就充滿了。

（一三八）

捲了疎簾看看外面的清奇世界；

青山樹翠，

樹影交錯，

野花如笑，

鳥兒唱踀，

54

~~~~~~晨　露　集~~~~~~

糊波碧漪，

　　我便蘸着筆；

向幽雅的世界朦朧牆上寫道！

犧牲你的佈景，而得到我愛你的眞趣。

（一三九）

空氣散漫了世界，

也是獨創造世界上的美麗。

（一四〇）

「美麗」向世界說——

世界都是美覾；

　　「醜惡」頹喪着臉長嘆的向美麗說，

世界總是面醜的。

（一四一）

　　都成了白雪世界了，

55

~~~~~ 晨　露　集 ~~~~~

小茅廬也作了獨立的世界。

（一四二）

巨雷來了，

母親却唱了雅曲兒給嬰孩聽。

（一四三）

歡笑，

跳舞，

母親見了天眞的孩子，便不堪想她過去的事實了。

（一四四）

不思索中的談話，

「心絃」却把眞情流露出來。

（一四五）

旅行者站在山巔上，

感謝月光兒的引導。

56

~~~~~~ 晨　露　集 ~~~~~~

（一四六）

「黑暗」賜了黑暗衣給太陽，

早晨來——

　　太陽也脫下黑暗衣，便賜了光明衣與黑暗。

（一四七）

　　故鄉呵！

未晤已稔了，

　　無窮的愁惱；

　　消化在寒喧中罷！

（一四八）

　　母親不住的安慰嬰孩，

　　嬰孩不住的嬌笑；

然而他微笑裏，

　　也流出愛母親的眞情，流露出來。

57

〜〜〜〜 晨 露 集 〜〜〜〜

(一四九)

風兒颭舞了青枝，

花枝點點頭向風兒道謝。

(一五〇)

昨夜飛舞的雪花，

如何的美麗呵！

今早捲簾一瞥，

只有些淋滑的泥土却滑了行路的老人。

(一五一)

你和我——

踴躍了，

談笑了，

親蜜了，

我的孩子——

58

~~~~~~晨　露　集~~~~~~

真對不住你，

所報答你的快樂的酬禮；

　只有沉默中的愛滿溢了。

（一五二）

歸來的囘憶，

是無痕跡的徘思；

也鉤上了我的沉默。

（一五三）

「花香」吹到春光足前，求牠的愛憐，

春光嗅了馨芬，便愛慕「花香」了；

隨時賜與一個美麗的紅果兒。

（一五四）

真理在呆呆沉默着，

世界上並不譏剌牠是癡子。

59

~~~~~晨　露　集~~~~~

（一五五）

大雨底下，也有傘底下的行人。

（一五六）

伉儷吧！

安琪兒撒播了一顆紅果兒在愛情肥土裏呢？

（一五七）

落葉，

不要悲哀吧！

因爲鶴髮童顏的祖父，睹情而傷嘆呵。

（一五八）

太陽在空中遨遊，

大地上發現偉大的光亮；

歸返後，

60

~~~~~~~晨　露　集~~~~~~~

我的院落何曾再尋牠光亮的痕迹呢？

（一五九）

「思想」燃在心燈裏，

心燈照耀世物的形跡；

世界上也便發現牠的光明。

（一六〇）

我的足痕印在湖邊上，

那天上浮過的雲朵兒，也瞧着我微微的點頭。

（一六一）

醉了，

我的朋友——

請滿溢我手中的杯兒，

對着躶麗的鏡子，照照我的糊塗的面貌。

61

~~~~~~~~晨　　露　　集~~~~~~~

（一六二）

生命的小舟，

載了生命遊覽茫茫的海景兒；

　　剎那間——

生命便迷迷的酣睡在小塌上。

（一六三）

凄清的長夜，

聽聽院前的落葉聲；

　　可憐我的魂兒呢？

　　也深深的印了枯葉的凄聲了。

（一六四）

　　遨遊吧！

那月下的蘭香從園外送來，

　　思想也泛溢了心房；

感謝——

62

— 64 —

～～～晨 露 集～～～

月光的靜美，

微風的和暢，

蘭兒的濃馨。

（一六五）

人生呵！

不堪回首呵？

過來的事實、

只有天眞的朦朧影兒。

（一六六）

和善的人與我談吐，

然而我祗知道他眞理的隱約；

奸惡的人哩？

眞理已經避遁了。

（一六七）

63

~~~~~~晨　露　集~~~~~~

世界的屋子裏，

人們的安頓處；

我的園內呢？

花兒哀豔，

鳥兒跳躍了。

（一六八）

小孩子有了現在的愉快，

然而他的悲觀還在後頭。

（一六九）

悲秋——

青翠的樹兒，

豔麗的花兒，

的劊子手呵！

可憐松，竹，梅，也站在場旁瀉了同情淚呢？

64

~~~~~~晨 露 集~~~~~~

（一七〇）

我正在思索以往的憾事，

春風却傳與我——

　　哀豔的——鵑語，

　　清脆的——琴聲，

然而春風也似乎對我說——

　　如此良晨，

　　賜君幸福。

（一七一）

罪惡呵！

惟有眞理的浴池洗濯你過犯的污穢

（一七二）

陽光照耀在「繁林」身上，

　　繁林有了濃黑的影子；

65

～～～～晨　　露　集～～～～

路過的旅行者，

却感謝繁林蔭涼的賜福。

（一七三）

池中的魚兒，時時的水面上遊來遊去，想覓牠

的食物，

岸上的漁人，鈎上了牠的食物，而得了牠的生

命。

（一七四）

沉默，

已思索了詩句兒；

也似靜美的宇宙，細聽小鳥的歌唱。

（一七五）

「生命」向光陰說——

我只有生長與工作麼？

66

~~~~~~晨　露　集~~~~~~

光陰點點頭倏倏的走過去；

　　「死亡」終始不見光陰繚繞着點頭了，

　　便是永久的安息。

　　　　　（一七六）

　　這些瑣碎事情揚起了心路上的灰塵；

　　心路上——

軍馬的聲浪，

行路的脚步聲，

喧嘩的高囂聲，

談笑的拍掌聲，

　　無從安靜了。

　　　　　（一七七）

　　脚步兒，

你勇敢罷！

　　茅蘆門外的白髮祖母，也正在倚門翹望？

67

～～～晨　露　集～～～

脚步兒，

慢慢的行；

　回答說──

遊子呵！

　原諒我，

那處的莉刺；

　我正怕要流血了。

　　（一七八）

　錦簇豔輝，

　黃金飛煌，

時時在房頂下隱現；

　驚覺一瞥，

一角缺月，

風吹樹稍，

　更淒涼了我的情緒。

68

~~~~~ 晨　露　集 ~~~~~

（一七九）

喧聲從外面進來，

室內的笑聲却遮蓋了沉靜。

（一八〇）

羣星，

是縹緲的光芒；

我的情緒呢？

便也時時的羞瞟了「心光」。

（一八一）

大地寂寥，

海流潺潺，

山巔險危，

多麼茫渺呵！

小鳥兒——

69

～～～～　晨　露　集　～～～～

飛過了山巔，

經過了大海，

大地上也聽見了牠的歌聲。

（一八二）

這些思想糊塗了，

在什麼處在呵！

我的「心海」激成了波濤。

（一八三）

礁石呵！

你永久呆呆的站在這海岸旁麼？

然而也有永久的波潮，的岸上的漁燈伴着你呢

？

（一八四）

春風去也，

70

只留了地上--片片的花瓣兒呵！

（一八五）

秋裏的菊兒軒昂着，

寒霜侵襲你；

世人却讚美你是君子的氣宇。

（一八六）

淸脆的歌兒；

蜿蜒的，

有餘有理的，

在心絃上長彈。

（一八七）

淸晨，

肓眼惺松；

簷前的小鳥，飛到樹梢上歌聲起來，

71

～～～～晨　露　集～～～～

（一八八）

愛人呵！

偕你同上了小舟，

　　那湖水枯涸了；

原諒我——

　　我的「心舟」兒正行在你愛河裏。

（一八九）

　　靜美的月色，

　　微芒的羣星，

請留下一些光亮在我文字上。

（一九〇）

　　粗陋的樹巢，

　　倦鳥的安頓處；

　　然而「世界」不住的讚美牠智識的搖籃。

72

（一九一）

洞簫的幽聲；

柔和的，

清妙的，

私訴的，

　　從牠玉喉裏歌唱起來；

歌聲裏說牠曾經過風，霜，雨，雪，的淒涼；

　　人類，

只有你們現時溺愛牠的嬌音呵！

（一九二）

　　花兒對葉兒說——

我是美麗的，

你是清幽的；

　　葉兒應了牠便便保存了牠的花朵。

※　※　※　※　※

73

~~~~~~~晨　露　集~~~~~~~

果兒向葉兒說——

我是尊貴的，神聖的，

你是在下的，卑賤的；

　枝兒恨果兒的無禮，搖勁了一下便拋掉了牠在

地上。

（一九三）

心血流在「理想中」，

然而「理想」有了油料，便照耀偉大的真理之

園了。

（一九四）

雨後的清趣，

清幽；

澄美；

雀兒飛了去，

籤着了湖山的青翠；

74

～～～ 晨 露 集 ～～～

歸向休巢了。

＊　＊　＊　＊　＊

雨後的清趣，

清瑩；

幽渺；

美術家緘默罷！

所寫出一切山清水秀，

是絕對的美。

＊　＊　＊　＊　＊

雨後的清趣，

幽邃，

軒昂，

然而雨滴兒在夜間也許洗溼了你的面孔，保存

你的美麗，在今晨日光下。

＊　＊　＊　＊　＊

雨後的清趣，

怡靜；

75

~~~~~ 晨　　露　　集 ~~~~~

幽雅；

　　生命兒輕泛着一葉小舟兒，

　　在澄湖裏微漾；

看呵——

　　那處岸堤上的柳花兒也，被狂風吹颺了亂舞呢

　　？

　　　　※　　※　　※　　※　　※

　　雨後的清趣，

靜美；

朗朗；

　　山間內的渠溪兒流着歌唱，

　　渠溪裏也有黃衫的魚兒跳舞。

　　　　※　　※　　※　　※　　※

　　雨後的清趣，

渺茫；

杳藹；

　　鳥兒歌唱了，

76

~~~~晨　露　集~~~~

牠的歌聲——

　　由繁林繞過了青山·

我在小湖旁聽了牠的沉吟，

唯有心中的愉快也便是在劇台上叫了一聲采○

　　　　❀　❀　❀　❀

　　雨後的清趣，

清爽；

素潔；

　　微風來也——

青山上的草兒，

　　頫動；

堤旁的柳細兒，

　　搖曳；

澄湖裏碧波兒，

　　漣漪；

園裏的玫瑰兒，

　　颭舞；

77

〜〜〜〜 晨　露　集 〜〜〜〜〜

感謝你風使的仁慈；

　　然而——

顛動，

搖曳，

漣漪，

颺舞，

　　也是各各的謝意。

　　　　　※　　※　　※　　※　　※

　　雨後的清趣，

璀璨；

瑰奇；

　　當我領略了湖光的美，

再寫了我的詩；

　　看呵！

我的詩也正在與湖光同飛呢？

　　　　※　　※　　※　　※　　※

　　　（一九五）

78

~~~~~~ 晨　露　集 ~~~~~~

　我的朋友，

當我再下筆時，

　思想却脫離了天然界了；

只留下最後之敬贈，

獻與未來之愛的足前呵！

　　　　（一九六）

　晨露兒那般神往的明亮；

呆呆的，

默默的，

悄悄的，

　擁着青被兒；

時弄雙眸，

　瞥見了——

湖光靜美，

山林清奇，

雀兒如笑，

　　　　79

～～～～ 晨　露　集 ～～～～

想不到——

早陽已升，

　　竟鈎起了悲傷；

　　只是暗暗的背地偷咽。

　　　　　※　※　※　※　※

　　晨露兒站在荷頂上，

　　雲紋兒飄在太空下，

牠倆呆視着

　　便生了刹那間的慮意了。

　　　　　※　※　※　※　※

　　晨露，

你正在綠萍的小屋內酣睡着；

　　少時——

柔和的陽光射了你窗前，

　　你却匆匆的跑去失跡了。

　　　　　※　※　※　※　※

　　晨露呵！

80

〜〜〜〜 晨　露　集 〜〜〜〜

情早起，

　　我便開了門；

湖光前，

　　迎迓我的愛者，在青荷屋子裏呵！

　　　　　　※　　※　　※　　※　　※

　　　　　一九二六，一，十。脫稿

　　　　　　　　嚴　廷　楳

上海藝衆圖書公司發行